Sioeau Maldwyn

Sioeau Maldwyn

Linda Gittins
Derec Williams
Penri Roberts

y Lolfa

Argraffiad cyntaf: 1999

Hawlfraint Y Lolfa Cyf. 1999

Mae hawlfraint ar y gerddoriaeth a'r geiriau sydd yn y llyfr hwn ac y mae'n anghyfreithlon i atgynhyrchu unrhyw rhan ohono (ar wahân i bwrpas adolygu) heb ganiatâd ysgrifenedig y cyhoeddwyr ymlaen llaw.

Clawr: Owain Huw

Rhif Llyfr Rhyngwladol: 0 86243 491 2

Argraffwyd a chyhoeddwyd yng Nghymru gan
Y Lolfa Cyf., Talybont, eredigion SY24 5AP
ffôn (01970) 832 304 *ffacs* 832 782 *isdn* 832 813
e-bost ylolfa@ylolfa.com
y we www.ylolfa.com

Cynnwys

Cyflwyniad

Pan ddaeth yr Eisteddfod Genedlaethol i Faldwyn yn 1981, ffurfiwyd Cwmni Theatr Maldwyn i gyflwyno drama gerdd newydd, sef *Y Mab Darogan,* gan Linda Gittins, Derec Williams a Penri Roberts. Ers hynny mae'r tri wedi parhau i ysgrifennu a chyfansoddi ar gyfer pobl ifanc – a'r rhai sy'n teimlo'n ifanc! Nodir isod fraslun o stori a chefndir y cynyrchiadau a lwyddodd i ddenu miloedd nid yn unig i lwyfan ein prifwyl, ond i lenwi theatrau ar hyd a lled ein gwlad. Yn y casgliad hwn o ganeuon rydym yn gobeithio bod yna rywbeth at ddant pawb, er mor anodd ydoedd dewis pa ganeuon i'w cynnwys – a pha rai i'w hepgor oherwydd prinder lle. Mawr obeithir y byddwch yn mwynhau eu chwarae a'u canu ac y bydd rhywfaint o flas y sioeau yn dod yn ôl i'ch swyno. Mae Linda, Derec a Penri yn cydnabod yn ddiolchgar gefnogaeth holl aelodau'r cwmni dros y blynyddoedd ac hefyd Eisteddfod Genedlaethol yr Urdd, Eisteddfod Genedlaethol Cymru, S4C a Chwmni Teledu Opus.

Y Mab Darogan

Hanes Owain Glyndŵr, ei ddyheadau a'i freuddwyd o Gymru Rydd a geir yn *Y Mab Darogan*. Mae'r cyflwyniad yn ymwneud â'r prif ddigwyddiadau yn ei fywyd, â'i gymeriad cadarn, ei ymroddiad dros yr achos ac â'r tyndra rhwng ei gyfrifoldeb at ei bobl a'i berthynas â'i deulu.

Y Cylch

Stori wreiddiol am glwb nos yn nauddegau'r ugeinfed ganrif a geir yma. Y cylch yw prif elfen y cyflwyniad lle y gwelir seren ifanc newydd y clwb yn araf ddisodli'r ferch a fu'n brif atyniad i'r clwb am rai blynyddoedd. Mae'r ferch newydd hefyd yn diorseddu'r llall yng nghalon rheolwr y clwb – ond mae rheolwr newydd yn cymryd ei le yntau ymhen amser. Mae'r clwb a'i berchenogion anweledig yn aros, ond mynd a dod mewn cylch yw hanes pawb arall.

Y Llew a'r Ddraig

Mae'r cynhyrchiad hwn yn mynd â ni yn ôl i'r oesoedd canol ac i dref ddi-enw rywle yng Nghymru. Mae maer y dref yn paratoi ei bobl at ymweliad y tywysog. O hynny ymlaen, yr un fydd tynged y ddau. Wrth i'r tywysog golli ei rym, darostyngir y maer o fod y pwysicaf yn y dref i fod y mwyaf distadl, sef gŵr sy'n sgubo'r stryd.

Pum Diwrnod o Ryddid

Hanes Siartwyr Llanidloes a geir yma, yn herio'r llywodraeth dros hawliau'r dosbarth gweithiol. Crisialwyd holl obeithion a dymuniadau'r gweithwyr yng ngofynion y Siarter. Llwyddodd y Siartwyr i reoli tref Llanidloes am bum niwrnod ond, gan fod y milwyr ar eu ffordd, bu'n rhaid i arweinwyr y mudiad ddianc. Llwyddwyd i ddal y rhan fwyaf ohonynt ac fe'u dedfrydwyd yn Llys y Trallwng, rhai i'r carchar, eraill i alltudiaeth. Methiant fu'r gwrthdaro – er hynny, fe heuwyd yr had a gwelwyd ffrwyth yr aberth gan y genhedlaeth nesaf.

Myfi Yw

Oratorio yw *Myfi Yw* yn olrhain digwyddiadau'r Wythnos Sanctaidd. Seilir yr oratorio ar Efengyl Ioan.

Mela

Stori wreiddiol sydd yma am helyntion tref arall eto ac am y gwrthdaro rhwng yr hen a'r newydd, y canol oed a'r ifanc, a rhwng gwerthoedd y dyn cyffredin a chyfalafiaeth. Cyfansoddwyd ar gyfer Cwmni Theatr Meirion yn Eisteddfod Genedlaethol yr Urdd ym Meirion.

Heledd

Hanes y dywysoges ifanc a orfodwyd i briodi Brenin Mersia yw *Heledd.* Er mwyn sefydlu heddwch rhwng Powys a Mersia, mae Heledd yn priodi Penda, Brenin Mersia – ond mae ei chalon yn hiraethu am ei chartref, Pengwern, a'i brawd, Cynddylan. Ymhen amser, mae hi'n dianc o afael ei gŵr ac yn achosi galanast erchyll.

Y Geni

Y MAB DAROGAN

Y Llais Gwyn, Corws (SATB)

mf
yn dis - gwyl, dis - gwyl y Gwan - wyn gwyrdd.
mf
Unsain mp
S
A
O ble daw y Mab — Dar - o - gan? O ble daw y Mab — Dar - o - gan?
T
B
Unsain
mp
mp
mp
2. O'r
O ble daw y Mab — Dar - o - gan? Y Mab Dar - o - gan?
p
p
p

2. ddae - ar daw'r e - gin, a'i ne - ges yn glir, a
3. - rych - wch ar yr haul, mae ar y gor - wel draw; Pel -
chwi yw y gwr - taith i bu - ro'r tir;
- y - dryn aur ar Sych - arth, myn Duw, mi wn y daw,
Mae'r bla - gur yn fyw ar fedd - rod ein
Bar - wn pur ei ach, Mar - chog mawr ei

f
Llyw, a byw, a byw yw y Gwan - wyn gwyrdd.
i'r Coda
barch, a chi, a chi yw y Gwan - wyn
i'r Coda
f
S
A
T
B
Unsain
mp
O ble daw y Mab Dar-o - gan?
O ble daw y Mab
Unsain
mp
mp
Dar-o - gan?
O ble daw y Mab Dar-o - gan?
Y Mab Dar -

D.S.i bennill 3
Coda
3. Ed - gwyrdd. A chi,
- o - gan?
A
chi yw y Gwan - wyn gwyrdd;
cryfhau'n raddol....................
Chi, chi,
A

chi yw y Gwan - wyn gwyrdd.
yn arafach
Wel-soch chi'r haul yn
yn arafach
hwyl - io'r nen?
Wel - soch chi'r byd yn
arafu........
co - di'i ben?
arafu........

Bedd heb yfory

Y MAB DAROGAN

Owain a Marged

er mai eil - iad fydd ein serch, mi her - iaf dyng - ed
i ti ferch, er gwell, er gwaeth, er gwyn - fyd yr awr hon.
Cytgan
Bedd heb y - fo - ry yw dy serch,
A dim ond byw am he - ddiw, O! fy merch;

mf
Ca - dw ein cyf - ri - nach, ac y - fed y
mf
gwin, A medd - wi yn dy gar - iad di am byth.
mp
mp
2. 'Rwy'n syl - we - ddo - li'r cyf - ri - fol - deb mawr,
sydd ar - noch chi, fy nheu - lu y - ma nawr;

mf
Pa hawl - iau sydd gan ddyn fel fi i
mf
ben - der - fyn - u'ch dy - fo - dol chi, ac fe - lly, rhof y
de - wis yn dy law.
Marged mf
Bedd heb y -
mf

-fo - ry yw dy serch, A dim ond byw am
he - ddiw, O! fy merch;
Ca - dw ein cyf - ri-
- nach, ac y - fed y gwin, A medd - wi yn dy
f
mf

1
mp
gar - iad di am byth.
3. Byw i'r eil - iad
mp
fyth - gof - ia - dwy hon,
mf
Ac er yr holl an -
mf
sic - rwydd yn fy mron,
f
Di - lyn - af di i'r
f
mey - sydd draw,
Der - byn - iaf bo - peth fel y daw,
er

gwell, er gwaeth, er gwyn - fyd yr awr hon.
2
mp
arafu....
A
medd - wi yn dy
gar - iad di am
arafu....
mp
Amser 1
mf
byth.
Amser 1
mf

Cariad bydd yn addfwyn heno

Y CYLCH

Tair Gweinyddes

Car - iad bydd yn add - fwyn,
Car - iad bydd yn add - fwyn,
Car - iad bydd yn add - fwyn he - no.
1,2 a 3
Unsain mf
1. Mi
2. E -
3. Yr
wn nad wyf ond te - gan o fewn dy law, A
- fall - ai mod i we - di dweud rhyw gel - wydd bach, I
eil - iad rhoist di he - no dy droed i mewn, Fe
mf
gwn fy mod yn hae - ddu pob peth a ddaw; Ac
geis - io cael fy hu - nan o rhyw strach; Gad
wydd - wn yn syth nad oedd pob peth yn iawn, Fe - lly

er i mi dy wrth - od dro ar ôl tro,
i mi sib - rwd un peth cyn i ti fynd o'th go',
gaf - ael yn dyn - er ac fe awn am dro, Ond
f
S
S
A
Car - iad bydd yn add - fwyn he - no.
Car - iad bydd yn add - fwyn he - no.
co - fia fod yn add - fwyn he - no.
f
4
he - no.
f

Cofio

Y CYLCH

mf
Y - dy o'n wir mod i'n cau fy lly - gaid i'r gwir?
mf
mp
Nad oedd fy nhraed i'n cy - ffwrdd y tir.
mp
O! na all - wn i ddech - rau o'r new - ydd, na
all-wn i enn - ill ei ffydd.
p
Ty - bed? 'Sgwn i?
p

mp
2. Co - fio, fel mae'r dydd yn troi yn nos,
3. Co - fio, a syl - we - ddo - li'r gwir,
mp
mf
O! mor niwl - og yw fy me - ddwl, Byw mewn
Gweld y crac - iau ar y mur - iau, Dag rau'r
mf
go - baith am yr hyn a fu.
hir - aeth am yr hyn a fu.
f
Y - dy o'n wir fod
Y - dy o'n wir fod
f
pe - thau mor ber ffaith ddoe?
am - ser yn lledd - fu y boen?
mp
Yn - teu
mp

am - ser a ail 'sgri - fenn - odd lin - ell - au y sioe?
O! na bawn fel lin - dys yn di - osg fy nghroen.
mf
O! na all - wn i ddech - rau o'r new - ydd, na
O! na all - wn i ddech - rau o'r new - ydd, na
all - wn i enn - ill ei ffydd.
all - wn i enn - ill ei ffydd.
p
Ty - bed? 'Sgwn i?
i'r Coda ar ôl pennill 3
cyflymu..........
Co - fio
f
O! mi we - laf y

mf
cy - fan nawr, A ni - nnau mor glos, A'r fflam yn
mf
o - lau lân; Hel - yn - tion byd
f
mor bell a ni - nnau'n un, A'r de - all rhyng - om ni'n
mf
arafu'n raddol
mp
daer am ddrws ein serch.
arafu'n raddol

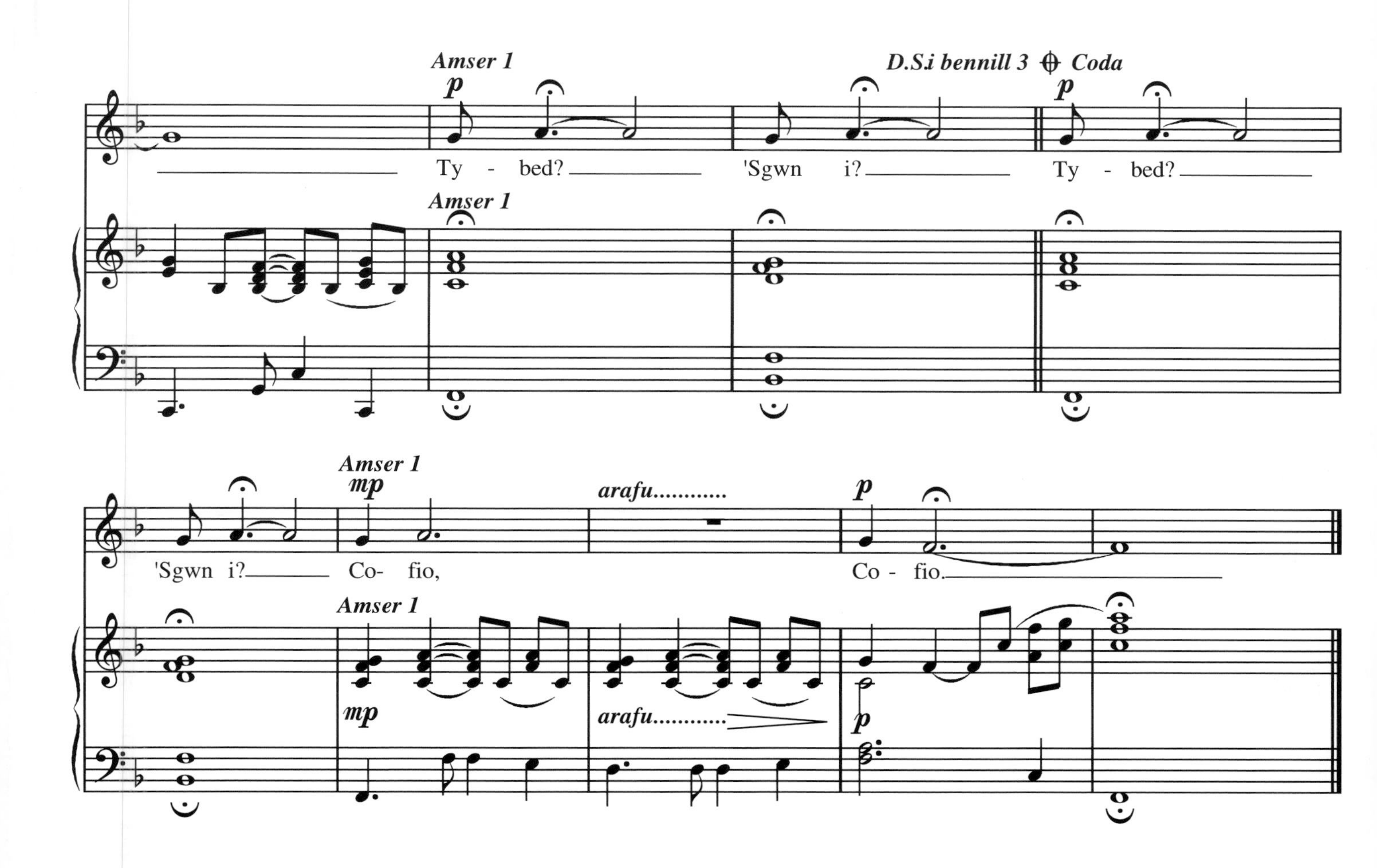
Amser 1
D.S.i bennill 3 Coda
p
Ty - bed?
'Sgwn i?
Ty - bed?
Amser 1
'Sgwn i?
Amser 1
mp
arafu...........
Co- fio,
Co - fio.
Amser 1
mp
arafu...........
p

Yn ddigon da

Y LLEW A'R DDRAIG

Rhys a Gwen

enn - ill serch ei cha - lon hi? Heb gyf - oeth, heb
hwnt i freu - ddwyd merch y dref. Breu - ddwyd - iaf, ym -
- go - lli'n llwyr mewn or - iau ffôl. Ang - hof - io, a
o - baith, I gael gwe - lla ar fy myd rhaid byw ar
- serch - af, Ac yn ei ly - gaid mwyn mi we - laf
chrwy - dro, Yn un - ig yn ein byd, gan gloi y
mf
nawdd gyf - og - lyd rai, ac es - tyn llaw o hyd.
i ol - eu - ni'r wawr yn lli - fo ar - naf i.
cy - fan yn y cof, a'i ga - dw y - no'n glyd.
Cytgan
p
Ond mae'r cy - fan yn
o - fer, Does dim go - baith i mi.

mf
Dim ond breu - ddwyd a ffan - ta - si, Mae y cy- fan yn
rhith; O! na bawn i yn dde - win, ne - wid - iwn y
f
mf
3
gae- af yn ha', Ond y gwir yw,
mp
arafu'r tro olaf
p
1 a 2
3
Fy - ddai byth ddi - gon da. Gwen 2. Pa fath o da.
Rhys a Gwen 3. A ddaw y
arafu ....

Fe godwn ni'r baneri

Y LLEW A'R DDRAIG

Y Bardd, Corws (SATB)

f
su - o yn y brwyn, yn co - di ca - lon pawb
gwên mor slei a ffug, y gall - em ni, y we -
f
i ddod yng - hyd.
- rin, dref -nu'r sioe.
Cytgan f
S
A
Ac fe go - dwn ni'r ban - e-
T
B
f
ri, fe baen - tiwn wal - iau'r dre; Fe

wae - ddwn am ein llwydd - iant; mae'r dar - nau yn
dis - gyn i'w lle; A
hir yw pob a - ros, wrth ddis - gwyl am y clod,

Ond y - fo - ry bydd ein Da - fydd ni yn dod,
i'r Coda
ar ôl Cytgan 3
bydd ein Da - fydd ni yn dod!
1.
2
f

f
3. Bo - bol, dewch y - fo-
f
- ry, am ddiwr - nod heb ei ail,
Heb oe - di dim i
fla - su'r gwin a'r medd;
A bydd

groe - so i'r Cym - ro
deim - lo gwres y ffair, A
bla - su'r by - wyd
go - rau yn y wledd.
D.S.ac i'r Coda
Ac fe
D.S.ac i'r Coda
Coda
Da - fydd ni, bydd ein Da - fydd
Coda

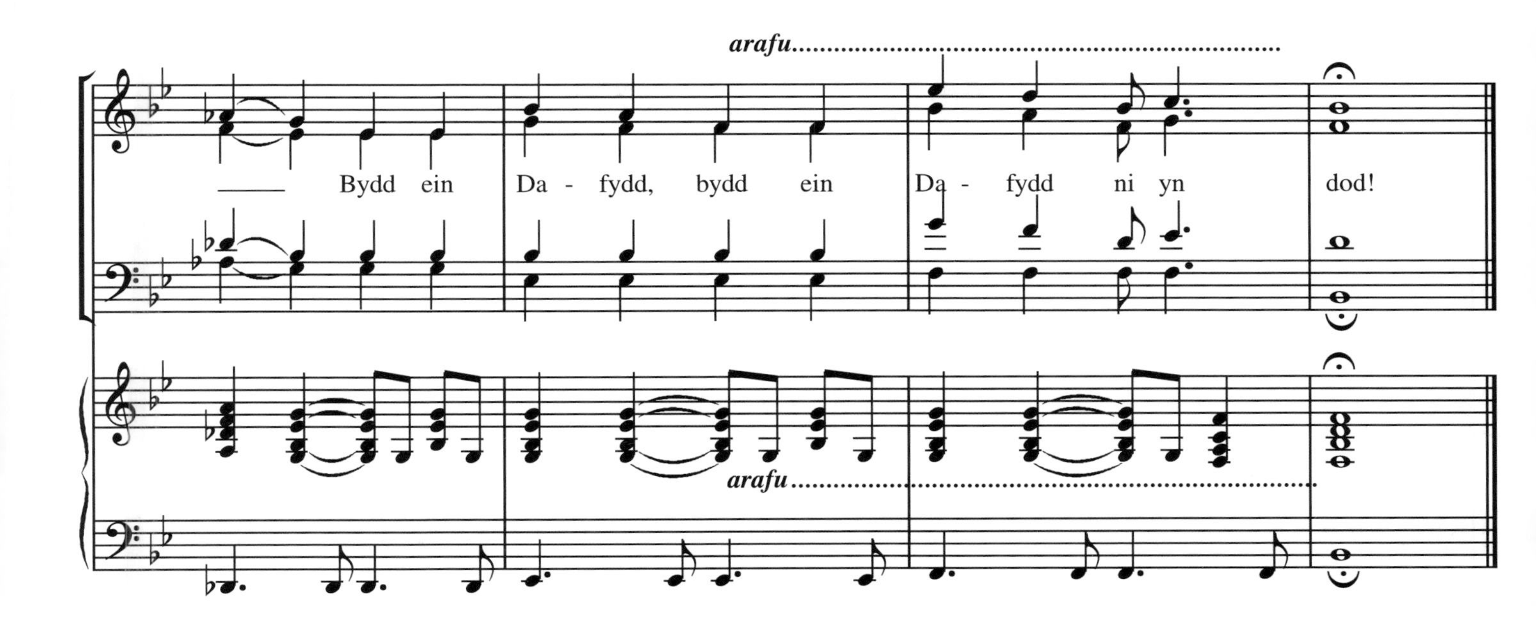
arafu
Bydd ein
Da - fydd, bydd ein
Da - fydd ni yn
dod!
arafu

Ar ben dy hun

Y LLEW A'R DDRAIG

Bronwen, Corws (SATB)

fod yn rhydd, rwyt yn dy gell, A'r dydd-iau'n
main i da-gu'r hyn a gaed, A'r dydd-iau'n
ddu pan fydd ffrind-iau'n ca-dw draw, A'r dydd-iau'n
hir ar ben dy hun.
hir ar ben dy hun.
hir ar ben dy hun.
Cytgan
Ar ben dy
mf
hun i gof-io'r hyn a fu; Pob ddoe yn
p
S
A
W
W
p
T
B
p W
mf

bell, a phob y - fo - ry'n ddu.
W
W
f
A thra bo er - aill yn mwyn - hau, Mi fy - ddi
mp
mf
A Mi fy - ddi
mp
mf
mf Mi fy - ddi di,
f

1 i'r Coda ⊕ ar ôl pen. 3
mp
p
di ar ben dy hun.
2. Mae'r dail yn
di,
W
pW
2.
mf
hun. Paid ym - ddir - ied mewn dyn - ion, Daw
siom i chwa - lu'r holl o - beith - ion; Mae dy

D.S. i bennill 3
mp
o - baith yn - ot ti dy hun.
3. Ar ôl y
p
Coda
p
mp
hun. Mi fy - ddi di, mi fy - ddi di,
S
A
T
B
p
mp
Mi fy - ddi di ar ben dy hun.
p arafu
p arafu

Dewch i mewn

PUM DIWRNOD O RYDDID

Marsh a'r Bonedd (Corws SATB)

-og - ion a pherch - nog - ion tir, dewch i mewn, dewch i mewn,
gweith- wyr yn ddis - taw dan draed, dewch i mewn, dewch i mewn,
fen - dith i ga - dw yr hedd, dewch i mewn, dewch i mewn,
Ac y - mun - wch yn y wledd.
Y Bonedd
S
A
T
B
mf
Ac y - mun - wch yn y wledd.
mf
Ga - dewch i ni ran - nu he - no o'n
Ga - dewch i ni ran - nu he- no o'n

f
cy - foeth gy - da chi, Can's he - no mae
f
cy - foeth gy - da chi, Can's he - no mae
f
f Can's
dŵr y fe - lin wlân yn troi yn aur i
dŵr y fe - lin wlân yn troi yn aur i

1 a 2
3
mi.
2. Dewch i
3. Dewch i
mi.
mi.
mi.
Can's he - no mae dŵr y fe - lin wlân yn
Can's he - no mae dŵr y fe - lin wlân yn

cyflymu............
troi
yn
aur
i
mi.
cyflymu............
troi
yn
aur
i
mi.
cyflymu............

Yn cau amdanaf i

PUM DIWRNOD O RYDDID

Marged, Corws (SATB)

mf
gwn yn iawn;
Cael fy nhaf - lu ffwrdd— ar ddiw - edd dydd;
Mae
ar - ian gwyn yn pry- nu un - rhyw ferch dan haul,
An-
mf
o - baith he - no'n cau am - dan - af i.
mp
Oes 'na gy - sur yn rhyw- le? Oes 'na
S
A
T
B
p
W
p
p

mf
ryw - un i es - tyn llaw, pan mae'r nos yn ddu, a'r cy-
mp
W
Pan mae'r nos yn ddu,
p
mp
mp
mp
- my - lau'n blu,
A phawb y - ma'n ca - dw draw.
p
a'r cy - my - lau'n blu a phawb, W
p
p

mf
Oes 'na o- baith yn rhyw- le? Lly - ge- dyn o o- lau i mi? A oes
A
A
rhaid i mi grwy- dro, pob drws yn cau ar- naf i?
1.
mp
3. Mae
W
llen- ni'n cu - ddio'r haul a chys- god ar fy myd;
mp

mf
Pawb yn ca - dw draw, haint an - o - baith sydd; Tu
mf
ôl i'r holl ffen - es - tri teim - laf ly - gaid yn fy nghefn yn
falch fod y dydd - iau'n cau am - dan - af i. 4. Pob
drws ar gau a phawb yn troi eu cef - nau nawr,

Ac mae'r ffrind - iau fu oll yn cil - io'i ffwrdd; Heb
le i droi na gwe - ly cyn - nes o fy mlaen; An -
- o - baith nawr yn cau am - dan - af i. Oes 'na i?
mp
2.
p
S
A
T
B

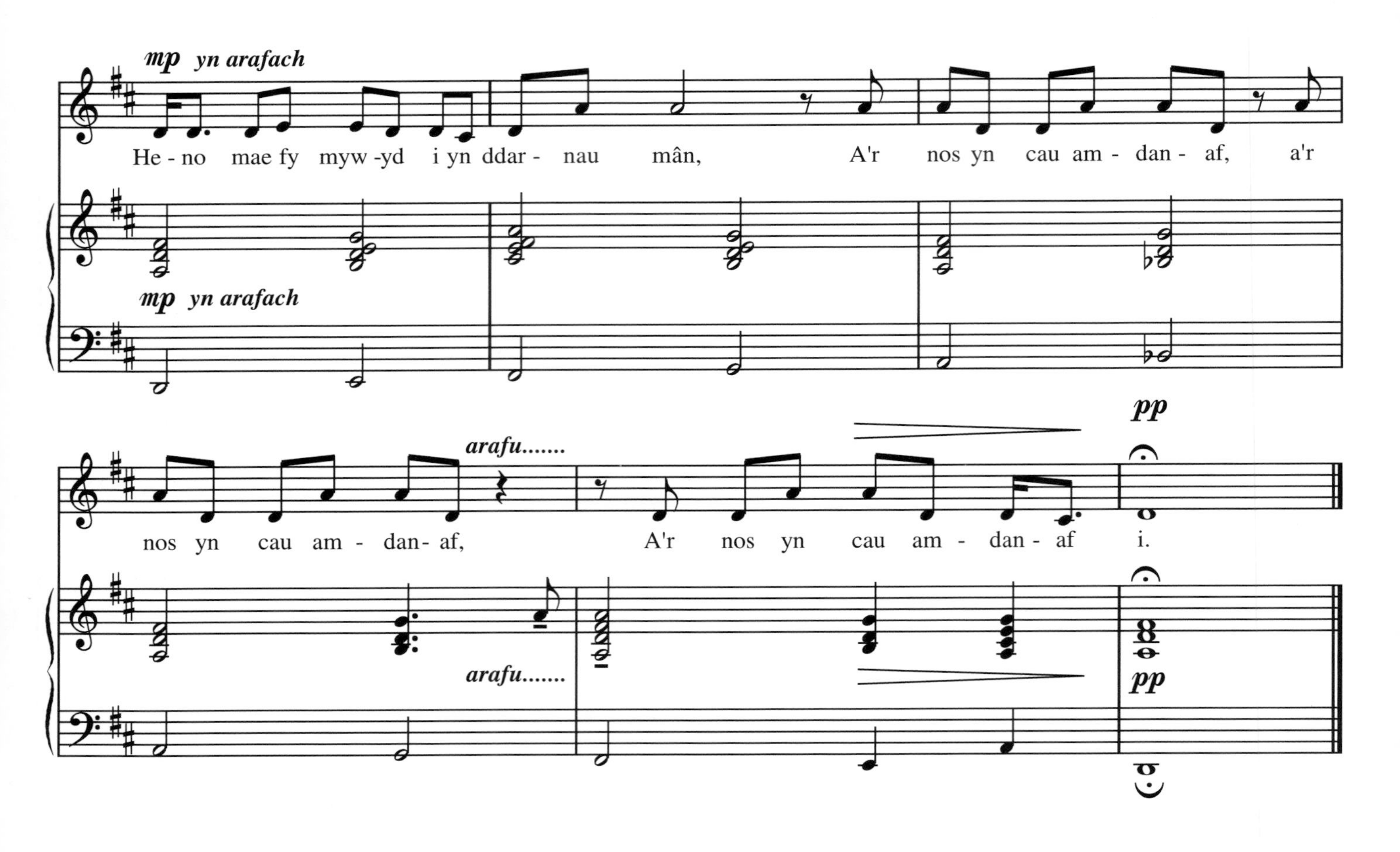
mp yn arafach
He - no mae fy myw -yd i yn ddar - nau mân, A'r nos yn cau am - dan - af, a'r
mp yn arafach
arafu.......
pp
nos yn cau am - dan - af, A'r nos yn cau am - dan - af i.
arafu.......
pp

Wyt ti wedi meddwl?

PUM DIWRNOD O RYDDID

Rwth, Morris, Corws (SATB)

cam gy - me - ri di he - no yn mynd â thi'n bell - ach i
rhyw - un yn gwei - ddi a chri - o, pawb yn ed - rych mewn braw ar - nat
ffwrdd; A ddoi di ddim yn ôl,
ti, A ddoi di ddim yn ôl,
1.
Ddoi di
ddim yn ôl at - af i?
2.
Ddoi di
ddim yn ôl at - af i?
mf
Gad i mi
mf

deim- lo dy freich - iau di yn dynn gan gloi y byd, a'i
re- wi am eil - iad yn fan hyn. A bydd Duw yn Ei nef - oedd yn ed -
- rych i lawr, yn gweld dau O'i blant sy'n Ei
mp
mp
ang - en yn awr, dy - ma ni.

mp
3. Paid, paid â 'nga - dael, ar - os gy- da mi; Paid â men- tro, paid â
p
S
A
W
W
T
B
p
mp
her- io, mae gor - mod i'w go - lli gen i.
mf
Tyrd i gudd- io dy
mf
A
mf
mf

boen - au, ang - hof - ia dy fraw yn fy serch, neu ddoi di ddim yn ôl,
W
Ddoi di ddim yn ôl at - af i?
Ddoi di ddim yn ôl,
W
W

Unsain Rwth a Morris
mf
Gad i mi deim- lo dy freich- iau di yn dynn, gan gloi y byd, a'i
A gan gloi y byd,
re - wi am eil - iad yn fan hyn; A bydd Duw yn Ei
W A bydd
A bydd Duw

mp
nef - oedd yn ed - rych i lawr, yn gweld dau O'i blant sy'n Ei
p
Duw yn ed - rych i lawr, W
yn ed - rych i lawr,
p
mp
ang - en yn awr, dy - ma ni.
A

Morris
mf
4. Fed - ra i ddim cudd - io, ni fed - raf droi yn ôl: cef - ais
mf
freu - ddwyd, teim - lais ry - ddid, gwel - ais gam y we - rin ffôl. Mae pob
3
cam gy - mer - rwn ni he - ddiw yn dod â rhy - ddid yn nes bob dydd, a gwn y
dof yn ôl, Gwn y dof yn ôl at - at ti.

Unsain Rwth a Morris
f
Gad i mi deim- lo dy freich- iau di yn
mf
S
A
A
T
B
mf
f
dynn gan gloi y byd, a'i re - wi am eil - iad yn fan
gan gloi y byd,
W

hyn; A bydd Duw yn Ei nef - oedd yn ed rych i lawr,
A bydd Duw yn ed rych i lawr,
A bydd Duw yn ed rych i lawr,
mp
yn gweld dau O'i blant sy'n Ei ang- en yn awr,
p
W
p
mp

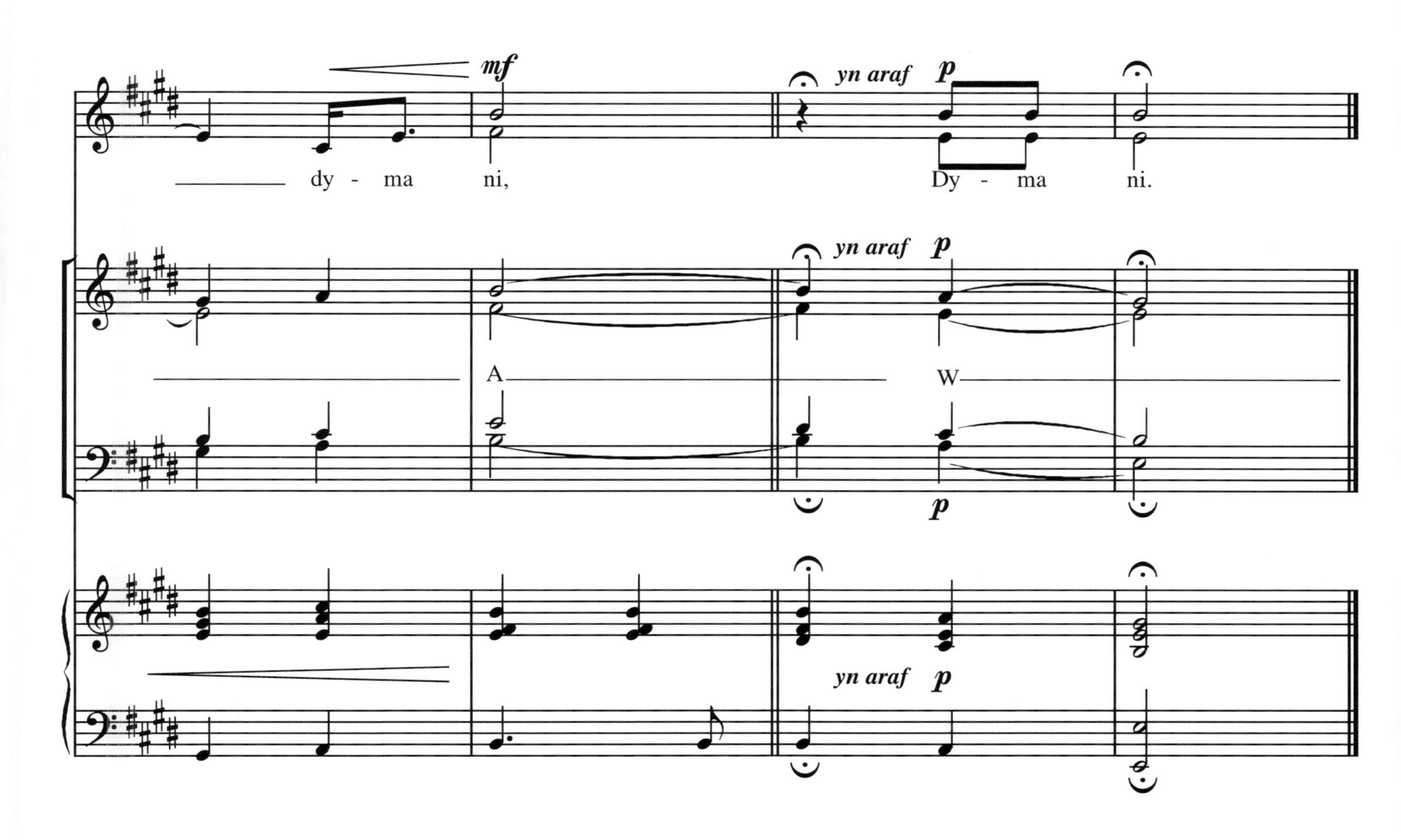
mf
yn araf
p
dy - ma
ni,
Dy - ma
ni.
A
W

Ar noson fel hon

PUM DIWRNOD O RYDDID

Morris, Corws (SATB)

gyf - le nawr i roi y byd yn ei le, a bydd pawb yn ein dil - yn o'r
wel - an nhw'r dorf yn sef - yll ar eu traed, yn bar - od i ym - ladd ac i
al - wad yr ut - gorn fe ddaw tyr - fa yng - hyd, a'r waedd am ein rhy - ddid yn
mf
Gog - ledd a'r De, Ar nos - on fel hon!
go - lli gwaed, Ar nos - on fel hon!
llen - wi pob stryd, Ar nos - on fel hon!
Cytgan mf
S
A
Fe
T
B
mf

god - wn ein gwyd - rau i'r new - id a ddaw; fe fyn - nwn ni go - di y
wer - in o'r baw; Rhown fa - ner y gweith - iwr ar ben u - cha'r tŵr, a

f 'De 'n ni,
gwae - ddwn ein Siar - ter i
gyd fel un gŵr:
'De'n ni ar y
f
f
'De'n ni
am gyf- iawn - der i'r wlad!
'De'n ni
ffordd i ry - ddid!
'De'n ni am gyf - iawn - der i'r wlad!

ar y ffordd i ry - ddid!
'De'n ni ar y ffordd i ry - ddid! 'De'n ni am gyf- iawn - der, cyf-
- iawn - der i'r wlad!
ar ôl Cytgan 3
ff
arafu................................
Ar nos - on fel hon!
ff
ar ôl Cytgan 3
ff
arafu................................

Ar y gorwel

PUM DIWRNOD O RYDDID

Morris a Rwth

mp
i. Daeth dy wyn - eb â go - leu - ni, daeth dy
i. Mae dy weld di yn fy llon - ni; mae dy
mp
wên fel haul i ledd - fu, daeth dy gar - iad pur yn
gy- ffwrdd yn rhy - fe - ddu; mae dy gu - san di yn
p
p
falm i'm mhoen -au i. Mae ein
rhoi fy nghorff ar
1.
mp

nef - oedd ar y gor - wel, o fewn ein cyrr - aedd ni; Y - no
mp
cawn ni fyw yn ha - pus, dim ond ti a mi. Ni fydd
mf
y - no neb mewn ang - en, ni fydd y - no neb yn brudd; Bydd ein
mf
mp
mp

car - iad yn teyr - na - su, a phob dyn yn e - naid
mp
rhydd.
p
2. Ti yw'r
p
2.
Morris
mp
Rwth
dân.
Mae ein nef - oedd ar y gor -
mp

- wel, o fewn ein cyrr - aedd ni; Y- no cawn ni fyw yn
ha - pus, dim ond ti a mi. Ni fydd y- no neb mewn
ang - en, ni fydd y - no neb yn brudd; Bydd ein
mf
mp

car - iad yn teyr - na - su, a phob dyn yn e - naid
1.
Morris
p
rhydd.
3. Hun - llef
p
un - ig oedd fy myw - yd, Dall i'r sanc - taidd pur a'r hyf -

mp
mf
- ryd; Ti yw'r ang - el fwyn a ddaeth i'm deff - ro
i. Deff - ro ang - en, deff - ro teim -
- lad, Deff - ro byw - yd, deff - ro car - iad, Deff - ro

go - baith mawr o fewn fy e - naid i.
Morris
mp
Rwth
Mae ein rhydd.
2.
p
p arafu..............
Ti a mi.
arafu..............

Hosana!

'MYFI YW'

Corws (SATB)

2.
Ho - sa - na i - ddo Ef! Ho-
Ho - sa - na i - ddo Ef! Ho-
Ho - sa - na i - ddo Ef! Ho-
Ho - sa - na i - ddo Ef! Ho-
f mf
-sa-na i-ddo! Bre-nin Nef! Ho - sa - na i - ddo
-sa-na i-ddo! Bre-nin Nef! Ho - sa - na i - ddo
-sa-na i-ddo! Bre-nin Nef! Ho - sa - na i - ddo
-sa-na i-ddo! Bre-nin Nef! Ho-sa-na! Ben-di-ge-dig!

Ef! Ho - sa - na
Ef! Ho - sa - na
Ef! Ho - sa - na i - ddo Ef!
Ben - di - ge - dig! Bre - nin Nef! Ho-
i - ddo Ef!
i - ddo Ef!
i - ddo Ef! Ho -
-sa - na! Ben - di - ge - dig! Ben - di - ge - dig! Bre - nin Nef! Ben -di - ge - dig!

Ben - di - ge - dig yw'r Hwn syn dod yn e - nw,
Ben - di - ge - dig yw'r Hwn syn dod yn e - nw,
- sa - na! Ben - di - ge - dig! Bre - nin Nef! Ho-
Ben - di - ge - dig! Bre - nin Nef!
Ben - di - ge - dig yw'r Hwn syn dod yn e - nw
Ben - di - ge - dig yw'r Hwn syn dod yn e - nw
- sa- na! Ben - di - ge - dig! Bre - nin Nef!
Ben - di - ge - dig! Bre - nin Nef!
Bre - nin
Bre - nin
Bre - nin,
Bre - nin

mf
Nef! Ben - di - ge - dig fy - ddo Bre - nin
Nef! Ben - di - ge - dig fy - ddo Bre - nin
Bre - nin Nef! Ho - sa - na i - ddo
Nef! Ho - sa - na i - ddo
f
Nef! Ho - sa - na
Nef! Ho - sa - na
Ef! Ben - di - ge- dig fy- ddo Ef! Ho - sa - na! Ho - sa
Ef! Ben - di - ge - dig! Ben - di-

i - ddo Ef! Ben - di - ge - dig!
i - ddo Ef! Ben - di - ge - dig!
na i - ddo Ef! Ben- di - ge- dig fy - ddo Ef! Ben - di - ge - dig fy - ddo
- ge - dig yw'r Hwn sy'n dod yn e - nw Bre - nin Nef!
ff
Bre- nin Is - ra - el! Bre - nin Is - ra - el!
Bre- nin Is - ra - el! Bre - nin Is - ra - el!
Bre- nin Is - ra - el! Bre - nin Is - ra - el!
Bre- nin Is - ra - el! Ho- sa - na i - ddo! Bre - nin Is - ra - el! Ben - di - ge - dig!

f
mf
Ben - di - ge - dig! Ho - sa - na i - ddo! Bre - nin Is - ra - el! Ho - sa - na i - ddo!
Ben - di - ge - dig! Ho - sa - na i - ddo! Bre - nin Is - ra - el! Ho - sa - na i - ddo!
Ben - di - ge - dig! Ho - sa - na i - ddo! Bre - nin Is - ra - el! Ho - sa
Ben - di - ge - dig! Ho - sa - na i - ddo! Bre - nin Is - ra - el! Ho-
Ben - di - ge - dig! Ho - sa - na i - ddo! Ben - di - ge - dig! Ho-
Ben - di - ge - dig! Ho - sa - na i - ddo! Ben - di - ge - dig! Ho-
na! Ben - di - ge - dig! Ho - sa na! Ben - di - ge - dig! Ho-
- sa - na Ben - di - ge - dig fy - ddo Ef! Ho - sa - na! Ben - di - ge - dig! Ho-

-sa - na i - ddo Ef! Ho-
-sa - na i - ddo Ef! Ho-
-sa - na i - ddo Ef! Ho-
-sa - na i - ddo Ef! Ho - sa- na! Ben - di - ge - dig!
-sa - na i - ddo Ef!
-sa -na i - ddo Ef! Ho - sa- na i - ddo Ef! Ho - sa - na! Ho-
-sa - na i - ddo - Ef! Ho - sa - na i - ddo
Ben - di - ge- dig yw'r Hwn sy'n dod yn e - nw Bre - nin

Ho - sa - na! Ben - di - ge - dig! Ho - sa - na i - ddo Ef! Ho -
- sa - na! Ho - sa - na! Ben - di - ge - dig! Ho-
Ef! Ho - sa na i - ddo Ef! Ho - sa -
Nef! Ho - sa - na i - ddo Ef! Ho - sa - na i - ddo Ef! Ben - di - ge - dig fy - ddo
- sa - na! Ben - di - ge - dig! Ho - sa - na! Bre - nin Nef!
- sa - na! Ho - sa - na! Bre - nin Nef!
- na i - ddo Ef! Ho - sa - na! Bre - nin Nef!
Ef! Ho - sa - na i - ddo Ef! Bre - nin Nef!

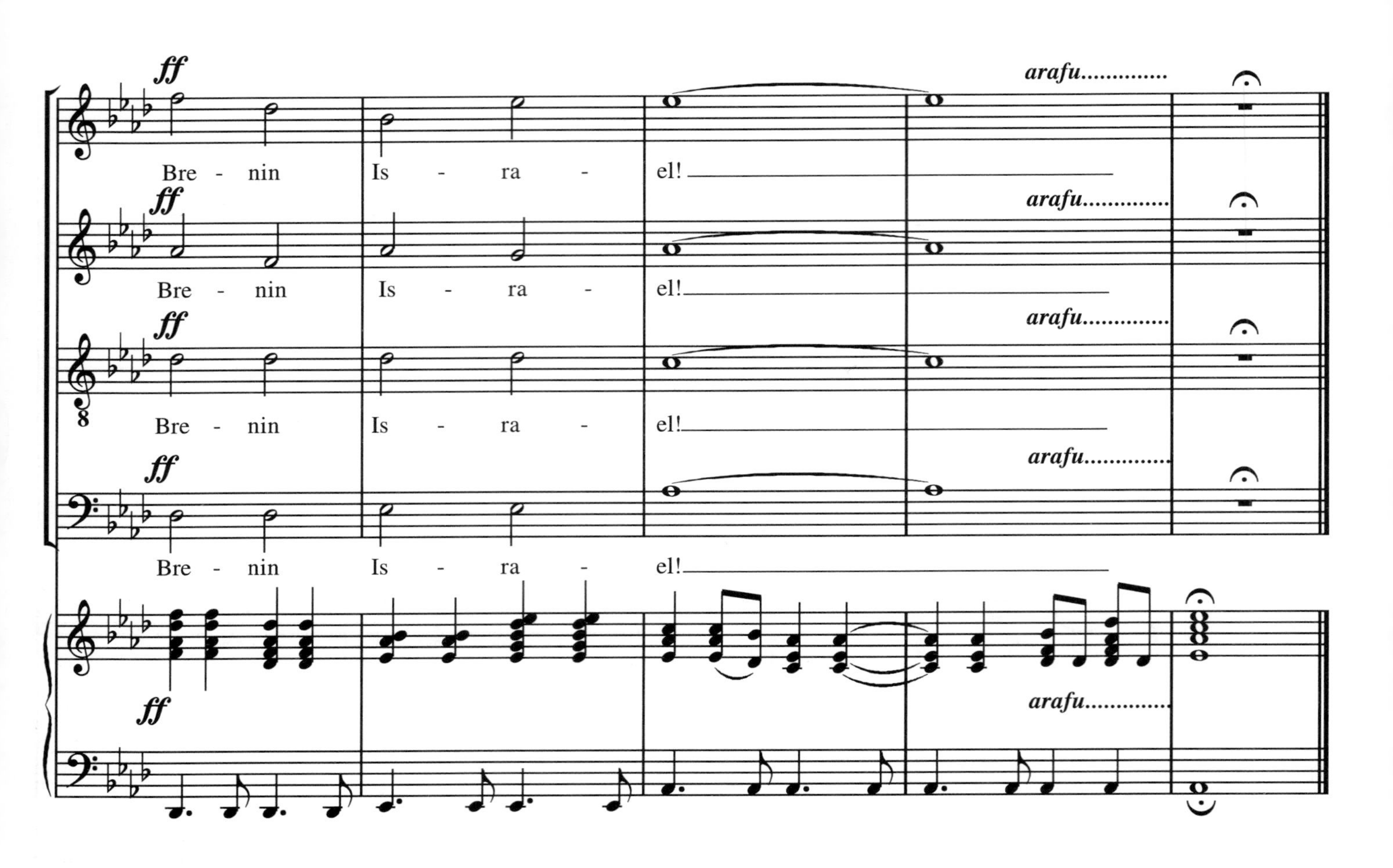
ff
arafu.............
Bre - nin Is - ra - el!
ff
arafu.............
Bre - nin Is - ra - el!
ff
arafu.............
Bre - nin Is - ra - el!
ff
arafu.............
Bre - nin Is - ra - el!
ff
arafu.............

Cân y Ceiliog

'MYFI YW'

Pedr

Amser 1
mf
1. Po - bol yn ho - li, go - fyn a phoe - ni,
2. Di - lyn Ei lwy - brau, gwran - do Ei eir - iau,
Amser 1
mf
"Wyt ti'n Ei ddi - lyn Ef?" "Yr
Bo - ddi'n Ei gar - iad Ef; Yr
Un sydd we - di'i wrth - od, a glyw - aist ti Ei lef?"
Un a ddaeth i'm har - wain at y Tad sydd yn y Nef;
"Wyt ti yn un sy'n cre - du fod ffordd sy'n well i fyw?" "Wyt
A'i gan - lyn yn hy - der - us, mor si - cr oedd fy ffydd mewn

mf
ti am dys - tiol - aeth - u fod Hwn yn Fab i Dduw?" Y
un a'm gwnaeth yn gaeth -was ac e - to'm gwnaeth yn rhydd: Y
mf
fi oedd am Ei ddi - lyn Ef ble byn - nag byth yr â: Pan
fi oedd am Ei ddi - lyn Ef ble byn - nag byth yr â: Pan
mp
ddaeth fy awr i sef - yll, dy - wed - ais in - nau "Na".
ddaeth fy awr i sef - yll, dy - wed - ais in - nau "Na".
mp
mf
3. Fi oedd y cry- fa', y mwy- a', y cyn- ta', pan ddaeth y ge - lyn draw.
mf

A hawdd oedd bod y dew-ra' â chle-ddyf yn fy llaw;
Ond an-odd y-dy sef-yll mor
un-ig wrth fy hun, Heb arf yn am-ddi-ffyn-fa, ond geir-iau Mab y Dyn: A
fin-nau am Ei ddi-lyn Ef ble byn-nag byth yr â, pan
mf
mf

mp
ddaeth fy awr i sef- yll, dy - wed - ais in - nau "Na".
mp
Cân y cei - liog ar y gwynt, ddaeth fel saeth i'm ca - lon;
Noe - thi f'e- naid ar ei hynt, gwag fy add - e - wid - ion.
f arafu.....
mp
Gwa - du'r Arg - lwydd, gwa - du'r Crist, Gwa - du'r cyf - aill tir - ion; Pan
arafu.....
f

yn arafach
ddaeth fy awr i sef - yll, dy - wed - ais in - nau "Na".
yn arafach

Werth y byd

MELA

Harry Valentine

mf
men- tro ar gyn - ta' gam, Yn rhe - deg we - dyn rhag pob drwg —— yn
lly - gaid dis - glair llon; Y car - iad pur di - lych - win oedd, —— y
sâff i gôl dy fam.
cy - fan yd - oedd hon.
Cytgan p
'Rwyt ti yr haul ar dor- iad gwawr; 'Rwyt ti y rhe - swm byw pob awr; ——
mp
'Rwyt ti o hyd yn —— werth y byd, —— 'Rwyt ti o hyd yn ferch — i

1.
mp
2.
mf
mi.
2. Ty- fu
mi.
3. Aeth bly-
mf
-nydd - oedd fel y gwynt, di - byn - naist ar - naf llai bob dydd; A
nawr 'dwi'n gweld y gro - ten fach yn bry - sur dor - ri'n rhydd. Ac
f
er y gwn hyn oedd i fod, na all - wn fyth droi'r cloc yn ôl, Ond
f

p
by - ddi'n was - tad yn rhan o'm bod, yn dalp o'm ca - lon ffôl. 'Rwyt
p
ti yr haul ar dor- iad gwawr; 'Rwyt ti y rhe - swm byw pob awr;
mp
mf
p
'Rwyt ti o hyd yn werth y byd, 'Rwyt
mp
mf
arafu............
ti o hyd yn ferch — i mi. 'Rwyt ti o hyd yn ferch — i mi.
p
arafu.............

'Self Made Man'

MELA

Harry Valentine

f
un dy-mun - iad: Mynd i dor - ri'n rhydd, —
f
fol ei bei - riant; Ar - ian y - dy'r iaith, —
f
mp
mynd i lwy - ddo yn y byd; Ac
mp
y - dy'r un mae pawb yn d'allt; A
e - fo fy rhin - we - ddau men - trus a dei - na-
dim ond hwn sydd he - ddiw yn bwy - sig ac yn cyf-
mp

mf
- mig, Drin- go gris wrth ris nes
mf
- ri'. Ar- ian y - dy'r grym, y- dy'r
f Cytgan
cyr- raedd y brig: Fel 'Self Made Man',
f Cytgan
cy - fan i mi: Fel 'Self Made Man'
f
mf
Un o feib - ion Thatch - er; We - di co - di yn y byd
mf

o fod yn was i fod yn fei - str;
Ma - mon yw fy nghre - fydd,
E - lw yw fy nghân,
Ac o'ch blaen,
heb 'run staen we - le
'Self Made Man'.

2.
Man'.

Hongian ar y dibyn

MELA

Cherry ac Euros

byd ar drai, A'r nos mor gaeth am - dan
cys - god byd, Was - tad tu a - llan i'r cwm
af. Euros 2. Pan oedd - wn i yn un - ig,
ni. Cherry 4. Gwel - ais fy hun mewn dag - rau, Yn
O! mor wa - han - ol i bawb, ti oedd y - no; Y
per - thyn i neb trwy'r byd, ti oedd y - no;

byd mor oer â go-lau'r lloer, A'r nos mor gaeth am - dan-
Gwran-do ar gân drwy'r or - iau mân, A chwsg mor bell i ffwrdd
he - no.
af.
Cherry
Cytgan
Hong-ian ar y di - byn,
Euros
Hong - ian,
Hong - ian ar y di - byn,
Su - ddo bob yn di - pyn,
Gaf - ael yn fy llaw, rhaid i ti
Su - ddo,
Su - ddo bob yn di - pyn,
Gaf - ael yn fy llaw, rhaid i ti

go - di fi i'th gan - lyn. Tyn - na fi nôl i wyn - e- bu, Rho i mi'r go - baith i gre du fod 'na 'fo - ry gwell, fod 'na 'fo - ry gwell i
go - di fi i'th gan - lyn. Tyn - na fi nôl i wyn - e - bu, i gre du fod 'na 'fo- ry gwell, fod 'na 'fo - ry gwell i

1.
2.
mf
mi.
mi. Fod 'na 'fo - ry gwell, fod 'na
mi.
mi. Fod 'na 'fo - ry gwell, fod 'na
mf
'fo - ry gwell i mi, Fod 'na 'fo - ry gwell, fod 'na
'fo - ry gwell i mi. Fod 'na 'fo - ry gwell, fod 'na
f
'fo - ry gwell i mi.
'fo - ry gwell i mi.

Pêl fach ddu

MELA

Harry Valentine

mf
un syn gwneud dy fy - wyd di yn lla - wer, lla- wer haws.
p
Amser 1
Hi 'dy'r gar- reg yn y pw - din, hi 'dy'r gath sydd yn y
cw- dyn, hi 'dy'r bêl fach ddu.
mp
Os na ddaw i'r go - lwg mi fydd

po - peth yn grêt!
My - ned - iad i'r teu - lu, yn
mf
frawd ac yn fêt;
Bydd y dry - sau ar a - gor, a'r
f
dwy - lo ar led:
mp yn arafach
Coe - lia fi, mi
yn arafach
fy- ddi di'n 'mêd!'
Amser 1
sub p
A

dy - ma beth sy'n ddon - iol ond yn ho - llol iawn,
p
yn arafach
Os ddaw hi all - an, ŵyr neb pwy rodd - odd i mewn!
Amser 1
2.
ddu.
mf yn hamddenol a rhydd
Dy - ma Mis - tar Chris - tian o'r
mf

H. M. S. Boun - ty;
Dy- ma Ef- nis - ien o'r hen Ma - bi - no - gi;
Dy - ma La - dy Mac, a dy - ma Sa - lo - me;
subp
Dy - ma yn wir ___ yw'r
bêl fach ddu. ___
Amser 1
3. mf
ddu. ___
mp
f
mf

Eryr Pengwern

HELEDD

Cynddylan, Corws (SATB)

am y nerth i'w chyn - nal, fe rodd - wyd gwlad;
Boed i - mi'r
grym a'r ga - llu sy'n dra - gwy - ddol; Gwyn - e - bu her a cha - mu i'r dy -
- fo - dol.
mp
mf
p (Cyt. 1) f (Cyt. 2 a 3)
Er - yr Pen - gwern,
S
A
T
B
p (Cyt.1) f (Cyt. 2 a 3)
Er - yr Pen - gwern,
Er - yr Pen - gwern,
p
p (Cyt. 1) f (Cyt. 2 a 3)

ein ca- der- nid, Er - yr Pen - gwern, ar - wydd rhy - ddid;
ein ca - der - nid, Er - yr Pen - gwern, ar - wydd rhy - ddid;
ein ca - der - nid, Er - yr Pen - gwern, ar - wydd rhy - ddid;
Mur - iau'r gaer dan ad- ain he- no, dan dy ly - gaid, yn dy ddwy - lo,
Mur - iau'r gaer dan ad- ain he- no, dan dy ly - gaid, yn dy ddwy - lo,
Mur - iau'r gaer he- no, dan dy ly - gaid, yn dy ddwy - lo,

Yn dy fyn - wes fawr di - fli - no, Di - nas ar y bryn sy'n fyw o
Yn dy fyn - wes fawr di - fli - no, Di - nas ar y bryn sy'n fyw o
Yn dy fyn - wes,
Yn dy fyn - wes, Di - nas ar y bryn sy'n fyw o
i'r Coda ar ôl Cyt. 3
mp
hyd.
2. Fe rodd - wyd nos, fe rodd - wyd
3. Fe rodd - wyd tras, fe rodd - wyd
p
W
p

3
haul y dydd i'w gan - lyn, fe rodd - wyd nos;
hil i mi an - nwyl - o, fe rodd - wyd tras;
2. Rhodd - wyd
3. Rhodd - wyd
mf
A thra bydd nerth, fe her - iaf
Fe rodd - wyd gwaed, y gwaed fydd
nos,
tras, A
A

3
e-to gaer y ge - lyn, boed i - mi'r nerth;
e-to ar fy nwy - lo, fe rodd - wyd gwaed;
A
mf
2. Boed i mi'r nerth, boed i mi'r
3. Fe rodd wyd gwaed, fe rodd - wyd
f
Rhaid i mi fyw, byw er mwyn fy
Heb un -rhyw ofn fe hawl - iaf ffawd fy
nerth.
gwaed.
Rhaid i mi fyw, rhaid i mi
Heb un - rhyw ofn hawl - iaf fy

mho - bol; Rhaid i mi fyw, a cha - mu i'r dy - fo - dol.
fyw; Rhaid i mi fyw, a cha - mu i'r dy - fo - dol.
mho - bol; Heb un - rhyw ofn, a cha - mu i'r dy - fo - dol.
Coda
Di - nas ar y bryn sy'n fyw o
Coda
Er - yr Pen - gwern, ein ca - der - nid,
Er - yr Pen - gwern,
Er - yr Pen - gwern, ein ca - der - nid,
Coda

hyd; Di - nas ar y bryn sy'n fyw o hyd; Er - yr
Er - yr Pen - gwern, ein ca - der - nid;
Er - yr Pen - gwern,
Di - nas ar y bryn,
Er - yr Pen - gwern, ein ca - der - nid;
ff
arafu.....
Pen - gwern, Er - yr Pen - gwern, sy'n fyw o hyd.
Di - nas ar y bryn,
Di - nas ar y bryn sy'n fyw o hyd.

Lucem tuam, Domine

HELEDD

Corws (SATB)

'Lucem tuam, Domine, nobis concede,
Ut destitutis cordium tenebris,
Perve nire repossimus ad lumen est Christus.'

'Bydded i Dy oleuni Di, O! Arglwydd, ddisgleirio arnom,
Fel y bo'r tywyllwch yn ein calonnau yn cael ei wared,
Ac y medrwn gael y gwir oleuni sydd yng Nghrist.'

p mp
- - - ce - de. Ut des - ti - tu - tis,
p mp
- - - ce - de. Ut des - ti - tu - tis,
p mp
con - ce - de. Ut des - ti - tu - tis,
p mp
con - ce - de. Ut des - ti - tu - - - - tis, Ut
Ut des - ti - tu - tis,
mf
Ut des - ti - tu - tis, Ut des - ti - tu - - -
mf
Ut des - ti - tu - tis, Ut des - ti-
mf
des - ti - tu - tis, Ut des - ti - tu - - -
mf
Ut des - ti - tu - tis, Ut des - ti - tu - tis, Ut
- tis, des - ti - tu - - - tis, Ut des - ti - tu - tis,
tu - tis, Ut des - ti - tu - tis, Ut des - ti-
- tis, des - ti - tu - - - tis, Ut des - ti-

f
des - ti - tu - tis. Ut des - ti - tu - tis cor - di - um
Ut des - ti - tu - tis. Ut des - ti - tu - tis cor - di - um
- tu - tis, des - ti - tu - tis. Ut des - ti - tu - tis cor - di - um
- tu - tis. Ut des - ti - tu - tis cor - di - um
ff
mf
p
ten - e - bris. Per - - ve ni - re, Per - ve
ten - e - bris. Per - ve ni - re, Per - ve
ten - e - bris. Per - ve ni - re, Per - ve
ten - e - bris. Per - ve ni - re, Per - ve
ni - re, Per - ve ni - re, Per - ve
ni - re, Per - ve ni - re, Per - ve
ni - re, Per - ve ni - re, Per - ve
ni - re, Per - ve ni - re, Per - ve

ni - re re - poss - i - mus, Per - ve
Per - ve ni - re, Per - ve, Per - ve
ni - re, Per - ve ni - re, Per - ve
ni - re re - poss - i - mus, Per - ve
p
ni - re re - poss - i mus. Per - ve ni - re re-
p
ni - re re - poss - i - mus. Per - ve
p
ni - re re - poss - i - mus. Per - ve
p
ni - re re - poss - i - mus. Per - ve
- poss- i - mus ad lu - men est Christ - us.
ni - re ad lu - men est Christ - us.
ni - re ad lu - men est Christ - us.
ni - re ad lu - men est Christ - us.

Rhaid i mi fyw

HELEDD

Heledd, Corws (SATB)

cyflymu ychydig....................
mf
fyw i gys - gu'r nos, i ail greu'r hun - llef yn fy mhen; Rhaid i mi
cyflymu ychydig....................
mf
f
fyw i ddio - dde'r boen, pob dydd, pob awr, pob eil - iad hir;
f
yn arafach
sub. p
Amser 1
mp
Di - o - dde'r fy - thol boen.
4. Rhaid i mi
S
A
T
B
yn arafach
Amser 1
sub. p
mp

mf
fyw i ddio - dde'r eith - af gosb, sy'n waeth na ma - rw, gan - waith waeth i
p
W
W
p
mf
f
mi: y gosb, y gosb, yr eith - af er - chyll gosb o
A

fyw.
Rhaid i mi fyw, rhaid i mi fyw i ddio - dde'r
Rhaid i mi fyw i ddio - dde'r
gosb, dio - dde'r eith- af gosb; Rhaid i mi fyw i weld pob gwawr, rhaid i mi
gosb,

fyw i ddio - dde'r boen, rhaid i mi fyw.
Rhaid i mi
Heledd
Rhaid, Rhaid i mi fyw;
fyw i ddio - dde'r eith - af gosb sy'n waeth na
gosb sy'n waeth na

Rhaid, Rhaid i mi fyw i ddio - dde'r gosb, yr eith- af
ma - rw, gan- waith waeth i mi; Y gosb, y gosb, yr eith- af er- chyll
gosb o fyw. Rhaid i mi fyw,
gosb o fyw. Yr eith- af er- chyll gosb, yr eith- af er- chyll
y gosb o fyw.

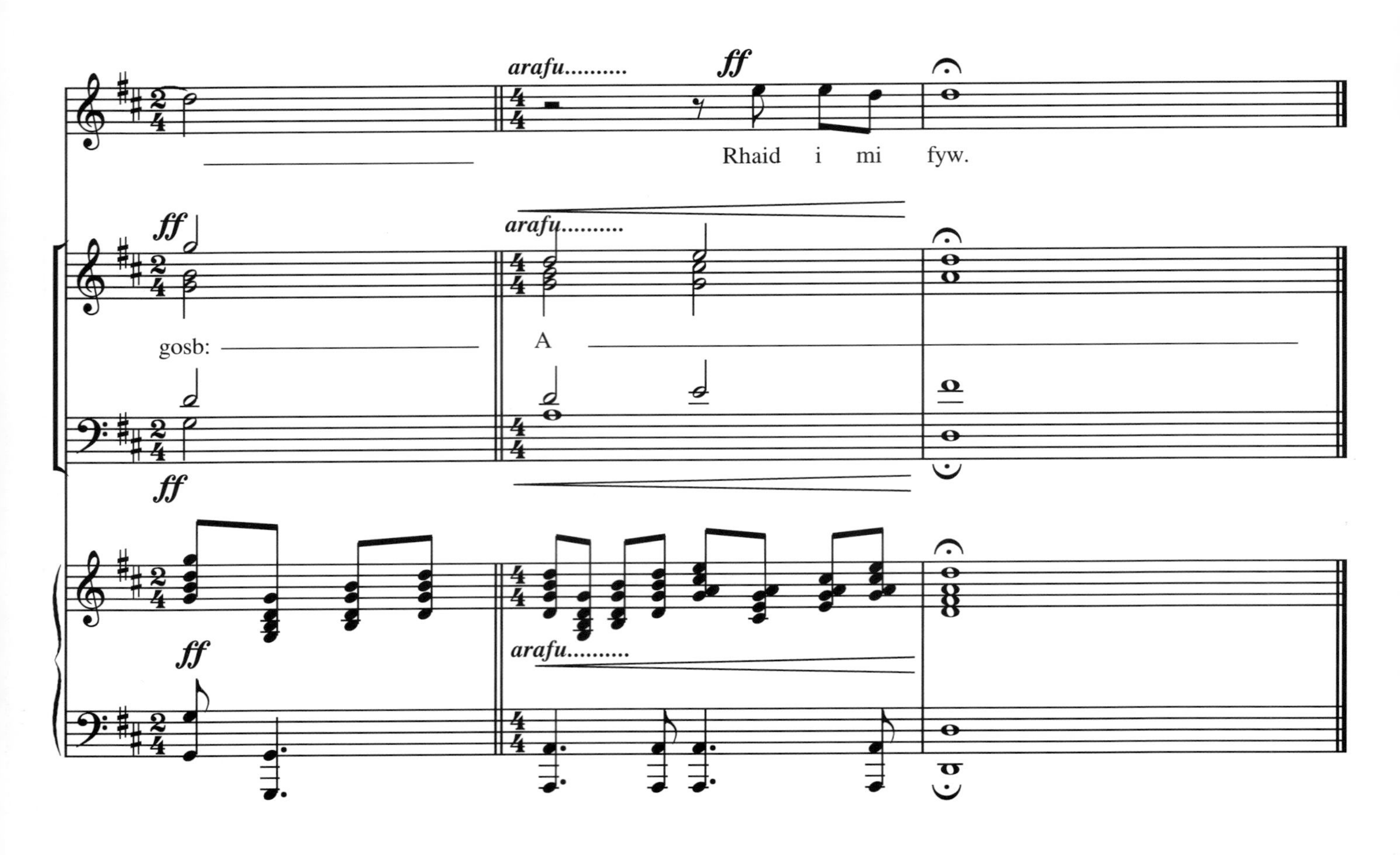
arafu..........
ff
Rhaid i mi fyw.
ff
arafu..........
gosb:
A
ff
ff
arafu..........

Hefyd o'r Lolfa. . .

***Er Mwyn Yfory* – Drama Gerdd Cwmni Theatr Meirion**
£8.95

"Un o'r pethau mwyaf gwefreiddiol a welwyd ar lwyfan yng Nghymru yn 1997."
– *Y Faner Newydd*